Y0-BBY-701

FRANKEN

FRANKEN

Aufnahmen Otto Ziegler
Texte Adolf Lang

Stürtz Verlag Würzburg

3. Auflage 1976

Aufnahmen: Otto Ziegler
(mit Ausnahme der Motive „Ansbach, Markgräfliche Orangerie im Hofgarten", „Würzburg, Hofkirche in der Residenz", „Bayreuth, Markgräfliches Opernhaus", Schutzumschlag „Residenz mit Hofgarten in Würzburg": Elmar Hahn/Rainer Mehl)

Übertragung ins Englische: Gudrun Merck
Übertragung ins Französische: Rudolf Ebler
Titelschrift: Günter Wittbold

Herstellung:
Universitätsdruckerei H. Stürtz AG, Würzburg

Von der Firma Richard Bergner, Schwabach, wurden die Bilder aus dem RIBE-Kalender freundlicherweise zur Verfügung gestellt.

Printed in Germany – Imprimé en Allemagne
ISBN 3 8003 0076 1

Zwischen Adel, Kirche und Bürgertum – Einheit und Vielfalt Frankens

„Es ist im gantzen Teutschland kein Provintz / oder Landsart / denn allein das Land zu Francken / welches Edel und Frey genannt wird", meint Matthäus Merians Textautor Georg Christoph Walther, Rat und Advokat von Rothenburg ob der Tauber, in seiner Einleitung zur „Topographia Franconiae" des großen Kupferstechers und Verlegers. Und nach diesem unverblümten Sonderlob für Franken beeilt er sich auch, dessen Grenzen festzulegen und die unmittelbaren Nachbarn zu nennen: den Nordgau und Bayern, die Untere Pfalz, das Schwabenland und Thüringen ... Wer diese Abgrenzung Frankens akzeptiert, hat manche Probleme aus der Welt geschafft, die Gebietsumgliederungen und Verwaltungsreform brachten und bringen, die Resultate rigoroser Eingriffe Napoleons oder der Beschlüsse beim Verlöschen des Heiligen Römischen Reiches Deutscher Nation waren. Deshalb kann auch Franken nicht nur in jenen Staats- und Administrationsgrenzen erfaßt werden, die es im Zuge seiner bayerischen Geschichte erhielt. Einige Beispiele machen hier die Widersprüche deutlich: das Hohenloher Gebiet gehört zum historischen Franken, heute ist es württembergisch; dagegen ist im Süden und Südwesten Frankens bayerisches und schwäbisches Element einbezogen worden.

Auch das Gebiet des alten Fränkischen Reichskreises, wie er unter Kaiser Maximilian I. geschaffen worden war, mag nur bedingt als Rahmen gelten, wenngleich hier schon ein getreueres Bild des Franken entsteht, das Historiker, Kunstgeschichtler, Ethnologen und Volkskundler vielleicht nennen würden. Doch dazu noch einmal Walther: „In specie nun hält dieser Crays in sich / sechs Fürstentümer / vier Geistliche / und zwey Weltliche ... das Stifft Bamberg, Würtzburg / Aichstätt und das Teutsch Meisterthumb." Die beiden weltlichen Fürstentümer, Ansbach und Bayreuth, folgen als nächste in seiner Aufzählung, schließlich noch die Grafschaft Henneberg, welche freilich „an ihren Federn sehr gerupfet / und ziemlich vertheilet."
Nach den Fürstentümern kommen die „Graff- und Herrschaften": Hohenlohe, Castell, Wertheim, Rieneck, Erbach, Limpurg, Schwarzenberg und Seinsheim. Von den Verästelungen und Nebenlinien und daraus resultierenden kleinen Herrschaften dieser Geschlechter zu reden ist müßig – allzu leicht würde selbst der geduldige Geschichtsfreund resignieren, ja kapitulieren.
Als nächste im Reigen der Stände des fränkischen Kreises folgen die Reichsstädte: Nürnberg, Rothenburg, Windsheim, Schweinfurt und Weißenburg. Wer

ihre Rolle in Frankens Geschichte würdigen will, muß bedenken, daß ihre Herrschaft zum Teil weit über das heutige Stadtgebiet hinausreichte, was nicht zuletzt kunst- und speziell baugeschichtlich bis heute spürbar blieb – und damit ist wiederum vom aktuellen Reiz Frankens gesprochen.
Letzte in der Reihe der fränkischen Stände ist „des Heiligen Reichs freye Ritterschafft immediaté unter dem Reich", die sich in die Kantone Odenwald, Altmühl, Steigerwald, Gebürg, Baunach und Rhön aufteilte. Wer Franken kennenlernt, wird gerade die kulturellen Leistungen aus dem reichsritterschaftlichen Kreis schätzen – etwa die überraschenden Herrensitze in einsamer Lage oder die großzügige Ausstattung mancher Kirche „auf dem Land".
Wozu eine derartige Aufzählung der einstigen politischen Gliederung des fränkischen Kreises, wozu eine derartige Verbeugung vor der Geschichte? Nun, politische Größe und Macht spiegeln sich darin nur bedingt, diese buntgemusterte Landkarte politischer Potenzen und nahezu ohnmächtiger reichsfreier Territorien ist eher Zeugnis der Zersplitterung und Machtlosigkeit, sogar der gegenseitigen politischen Neutralisierung. Warum also von ihnen reden?
Die Antwort darauf müssen die außerordentlichen kunst- und baugeschichtlichen Reichtümer Frankens sein, die ihren Ursprung im hervorragenden Maß dieser territorialen Vielgliedrigkeit verdanken. Jedes dieser Territorien versuchte die Selbstrepräsentanz, dokumentierte seinen Selbstbehauptungswillen – gleichgültig ob Reichsstadt oder Fürstentum, ob Hochstift oder reichsritterschaftlicher Besitz.
Hierin erklärt sich die Vielzahl an Burgen und Residenzschlössern, an herrschaftlichen Amtshäusern, an repräsentativ gestalteten Kirchen mit den Logen der lokalen Herrschaft. Daraus erklärt sich auch der bauliche Kontrast Frankens – oft auf engstem Raum zu beobachten, wie in Weißenburg, Ellingen und auf der Wülzburg, wo innerhalb weniger Kilometer die Baugesinnung der Reichsstadt, des Deutschordens und der Ansbacher Markgrafen aufeinanderprallt. Der kunstgeschichtliche Reichtum Frankens ist unmittelbare Folge seiner verwickelten und kleinzelligen Machtverhältnisse.
Die Geschichte dieses Raumes zu kennen, bedeutet darum, eine Erklärung, einen Schlüssel zu seinem Überangebot von kunstgeschichtlichen Denkmälern zu haben.
Aber zurück zum Fränkischen Reichskreis. Auch sein Umfang vermag keine endgültige Antwort darauf zu geben, was fränkisch ist. Es sei nur auf Dinkelsbühl hingewiesen, das zuallererst als fränkisch

empfunden wird, aber einst zum Schwäbischen Reichskreis gehörte – Resultat seiner Freundschaftspolitik mit gleichgesinnten Städten im Westen.
Auch die Grenzen Bayerisch-Frankens geben keine befriedigende Antwort. So bleibt die Frage nach dem Umfang Frankens in vielen Details unbeantwortet. Grund genug, doch zu Walther und Merian zurückzukehren, und sich mit der Nennung der Nachbarn zu begnügen: Thüringen, Oberpfalz, Altbayern, Schwaben. Kleinliche Territorialhechelei, dereinst hochgeschätzt im Fränkischen Reichskreis, hat hierbei keinen Platz mehr. Überdies sind engherzige Abgrenzungen auch nicht angebracht – dies widerspricht der Geistesgeschichte Frankens, seiner kulturellen Funktion in Süddeutschland. Franken war in seiner großen Zeit geistiges Umschlagsgebiet, war offen nach allen Himmelsrichtungen, eine Schaltzentrale hohen Ranges im einstigen Reich. Das historische Franken war nicht altfränkisch im Sinne des Beharrenden und Verschlossenen, ganz im Gegenteil. Eine erstaunliche Dynamik offenbart sich, wenn das Werden jener Künstler verfolgt wird, die gerne als fränkisch bezeichnet werden, jedoch der Abstammung nach nicht Franken waren oder ihre entscheidende Prägung „draußen" erfahren und ihr Erbe der neuen Heimat eingebracht haben.
Wir sprechen von der Verkörperung mainfränkischer Kultur, wenn wir Tilman Riemenschneider nennen, den Mann aus dem Harz. Veit Stoß erfordert, vom künstlerischen Erbe des Oberrheins zu berichten. Balthasar Neumann kam aus Eger, Leopoldo Retty aus Oberitalien, Gabriel de Gabrieli aus Graubünden, die Dientzenhofer aus Prag und Waldsassen . . . Sie alle haben das künstlerische und geistige Franken mitgestaltet, mit ihnen Kräfte aus Frankreich, Österreich und immer wieder Italien. Zu berichten wäre natürlich von den eingesessenen Meistern, aber auch von dem, was sie von ihrer Wanderschaft hereintrugen nach Franken.
Es ist begreiflich, daß ob dieser tausendfachen Bezüge, der vielfältigen Überschneidungen, dieses Franken nicht erschöpfend in Wort und Bild gewürdigt werden kann. So muß von diesem Reichtum manches angedeutet bleiben, muß die Selektion konzentrieren auf Unverwechselbares, müssen Würzburg und Bamberg für den Glanz der Fürstbischöfe stehen, Ansbach und Bayreuth den zollerischen Markgrafenstil repräsentieren, Nürnberg und Rothenburg ob der Tauber die eigene Welt der Reichsstädte vertreten, muß Mespelbrunn den Glanz des Adels verdeutlichen; Forchheim die variantenreichen Reize des fränkischen Fachwerks dokumentieren.

Diese Schwerpunkte sind am ehesten riesigen Portalen vergleichbar, deren Durchschreiten erst öffnet zu den Schönheiten Frankens, die nur angedeutet werden können. Da ist das glanzvolle Aschaffenburg, die Zweitresidenz der Mainzer Fürstbischöfe, mit seiner reichhaltigen Stiftskirche, dem mächtigen Renaissanceschloß an den Ufern des Mains und dem intimen Schloß Schönbusch inmitten seines Gartens nach englischem Vorbild.
Nicht minder glanzvoll wirkt Coburg, die Herzogsstadt mit der Ehrenburg, einem erstaunlichen Bestand an wertvollen Bürgerbauten und der unvergleichlichen Veste, einer der größten deutschen Burgen, der man den Namen „fränkische Krone" beilegte. Auch Kulmbach wird von einer Burg beherrscht, der Plassenburg, deren „Schöner Hof" den Prunkwillen ihrer zollerischen Markgrafen unwiderstehlich ausdrückt. Von hohem fortifikatorischem Reiz sind die Kirchenburgen Hannberg und Effeltrich ...
Viele Stationen wären zu machen: die Zisterzienserklöster Ebrach und Heilsbronn, Amorbach mit der Abteikirche, das prunkvolle Deutschordensschloß in Ellingen, das nüchtern-spröde Erlangen, Haßfurt mit seiner gotischen „Ritterkapelle", das oft übersehene Karlstadt, Münnerstadt mit seinen Kunstschätzen, Veitshöchheim mit seinem Garten im französischen Stil, Ochsenfurt, Langenzenn, Wolframs-Eschenbach ...
Fülle überall, von der Rhön bis zum Altmühltal, von der Fränkischen Schweiz bis zur Hohenloher Ebene, vom Spessart bis zum Jura, vom Maintal bis zur Keuperlandschaft. Und auch das will an Franken erspürt und geschätzt werden: der Reichtum des landschaftlichen Bildes, aber auch die schöpferische Spannung zwischen Natur und Menschenwerk.
Die politische Vielfalt Frankens ist auch eine landschaftliche, die Variabilität, der Kontrastreichtum dieses „edlen und freien" Landes erklärt sich nicht zuletzt aus der gegenseitigen Durchdringung all dessen, was an landschaftlichen, architektonischen und kunstgeschichtlichen Schönheiten vorhanden ist.
Die Vielfalt Frankens erlaubt nicht, in vordergründiger Weise von Einheit zu sprechen. Aber: seine Einheit liegt in der Vielfalt, sein Reichtum in der Offenheit nach außen begründet. Und so ist die Schönheit Frankens letztlich nicht ausschöpfbar, sie führt nach draußen und sie zieht wieder an, sie ist Frucht lebendiger Auseinandersetzung – schöpferischer Auseinandersetzung. Dies ist die beste Tradition Frankens, eben jene, die unserer Zeit jene herrliche Fülle von Kunstwerken und Kunstwerten geschenkt hat, die über die Generationen hinweg erfreuen.

Ein nobles Dokument von einem königlichen Hoftag bringt die erstmalige Erwähnung Nürnbergs: 1050 beurkundete Heinrich III. hier die Freilassung der Hörigen Sigena. Die geographische Lage und seine zentrale Bedeutung für die Politik von Kaiser und Reich ermöglichten den Aufstieg des Ortes an der Pegnitz zur Reichsstadt. Mehr noch, Karl IV. bestimmte 1356, daß jeder neugewählte König seinen ersten Reichstag in Nürnberg abhalten müsse. Und unter König Sigmund wurden der schon weitgehend privilegierten Noris „für ewige Zeiten" die Reichskleinodien zur Aufbewahrung anvertraut.
Geistige und künstlerische Metropole war „des Heiligen Römischen Reiches Freye Stadt" vor allem an der Wende zur Neuzeit: Albrecht Dürer und Veit Stoß, der Buchdrucker Anton Koberger und der Erzgießer Peter Vischer, der Bildhauer Adam Kraft, der Humanist Willibald Pirckheimer wirkten in ihren Mauern. Sie bestimmten das Bild dieser Stadt, unlöslich blieb ihr Name mit Nürnberg verbunden.
Trotz der Verluste des Schreckensjahres 1945 sind die Zeugnisse der großen Söhne und Bürger Nürnbergs und die Dokumente reichsstädtischer Geschichte überwältigend. Über der Stadt ragt die Kaiserburg auf, deren romanische Doppelkapelle ein kunsthistorisches Denkmal hohen Ranges darstellt. Da sind die Pfarrkirchen St. Sebald und St. Lorenz zu nennen, die eine bewundernswerte Fülle von Kunstgut aus Nürnbergs bedeutendsten Jahrhunderten bergen. Maler, Bildhauer, Schnitzer und Erzgießer haben hier im Auftrag der vermögenden Patrizierfamilien miteinander gewetteifert. Drei Werke allein genügen, um die überragende Geltung Nürnberger Kunst zu demonstrieren: das Sebaldusgrab von Peter Vischer in St. Sebald, der „Englische Gruß" von Veit Stoß und das virtuose Sakramentshaus Adam Krafts in St. Lorenz.
Dabei ist noch nicht von der zart-grazilen Frauenkirche berichtet, dem ehrwürdigen Johannisfriedhof in seiner einzigartigen Geschlossenheit, der vier Kilometer langen, wuchtigen Stadtmauer, und schließlich dem umfassenden Spiegel nürnbergischer Kulturleistungen: dem Germanischen Nationalmuseum. Wer alle diese Zeugen der Vergangenheit kennenlernt, wird Glanz und Schönheit Nürnbergs neu erspüren, wie es ein französisches Urteil aus dem Jahre 1597 schon sagte: „Die Stadt Nürnberg ist zweifellos eine der herrlichsten und vornehmsten Städte Deutschlands . . ."

Nuremberg

This name might be translated by "Rocky Mountain", which indicates that the city's history began with the construction of its castle enthroned on a rocky hill. South and east of this imperial seat developed the medieval settlement; since 1050 A. D. its growth into independence can easily be documented from one decade to the next. Nuremberg's geographic situation as well as its significance for the policy of the Holy Roman Empire promoted its ascent into a free city of the Reich. A well studied social and legal system together with a sound prosperity among the independent citizens during the fifteenth and sixteenth centuries stimulated the cultivation of fine arts. Thus the painter Albrecht Dürer, the bronze founder Peter Vischer, the sculptors Adam Kraft and Veit Stoß created their immortal masterpieces.
In spite of the heavy losses Nuremberg suffered in 1945 it still offers imposing testimony of its great history: the castle overtowers the city and is worth walking up to its premises; the parish churches St. Sebaldus and St. Laurence hold treasures of home art each. Remain to be mentioned Our Lady's Church, the Beautiful Fountain, the Johannis Cemetery, the townwall of 4 kms length and last but not least the German National Museum.
An appreciative visitor will discover much more in this fascinating city.

Nuremberg

Mentionnée la première fois en 1050, Nuremberg fut surtout, aux alentours des temps modernes, une métropole spirituelle et artistique du Saint Empire romain germanique. Les A. Dürer et V. Stoß, l'imprimeur A. Koberger et le fondeur P. Vischer, le sculpteur A. Kraft et l'humaniste W. Pirckheimer, travaillèrent dans ses murs. Ce sont eux qui ont façonné l'image de cette ville en liant indissolublement leurs noms à elle.
Malgré les pertes de l'année funeste que fut 1945, les témoignages des grands fils et citoyens de Nuremberg et les documents de son passé, en tant que ville impériale, sont d'une importance impressionnante. Au-dessus de la ville se dresse le château fort impérial, dont, en style roman, la chapelle à contreabside représente pour l'histoire de l'art un monument de premier ordre. Trois œuvres seulement suffisent pour démontrer l'importance proéminente de l'art nurembergeois: le tombeau Sebaldus par P. Vischer à Saint-Sébald, la salutation angélique par V. Stoß et le tabernacle par A. Kraft à Saint-Laurent. Et n'oublions pas le Musée National Germanique.

Nürnberg, Weinstadel zwischen Pegnitz und Kaiserburg

Nuremberg, Historic City · Nuremberg, Cité

Nürnberg, Blick vom Dürerhaus zur Kaiserburg

Nuremberg, Imperial Castle · Nuremberg, Château Impérial

Nürnberg, Holzreliefs aus dem Englischen Gruß von Veit Stoß in St. Lorenz

Nuremberg, Woodcarvings by Veit Stoß · Nuremberg, Sculptures sur Bois par Veit Stoß

Nürnberg, weihnachtlicher Lichterzug zur Burg

Nuremberg, Christmas Procession · Nuremberg, Procession de Noël

Nürnberg, Christkindlesmarkt vor der Frauenkirche

Nuremberg, Christkindlesmarkt · Nuremberg, Marché de Noël

Unverwechselbar gehört zu Franken der Fachwerkbau, Stadt und Land ist er gemeinsam. In seiner charakteristischen fränkischen Ausbildung formt er manches Ortsbild in geradezu unnachahmlicher Weise. Der Gegensatz zwischen dem ursprünglich mit Ochsenblut bemaltem Holzskelett und seinen weiß verputzten Zwischenfeldern wirkt kraftvoll und voller Spannung. Klassisches Beispiel dafür ist der Marktplatz von Miltenberg oder das Rathaus in Forchheim mit seinen benachbarten Bauten.
Vielfältig und einfallsreich ist die Ausführung des fränkischen Fachwerks, regionale Besonderheiten steigern die stets wechselnden Eindrücke. Staffelstein, Rothenburg, Dinkelsbühl, Wolframs-Eschenbach gehören in jene lange Reihe von Orten mit einer bewundernswerten Fülle von immer wieder variiertem Fachwerk. Aber auch mancher einzelne Bau verdient Beachtung, so in Städten und Dörfern, die von Sandstein- und Putzfassaden beherrscht werden. Stellvertretend für Hunderte, ja Tausende, seien die „Historische Kunstmühle" in Ammerndorf, das schlanke Torhaus von Burgbernheim, das Gasthaus „Rotes Roß" in Großhabersdorf und das Stadtschreiberhaus in Bad Windsheim genannt – allesamt Zeugen eines fast verschwenderischen Gestaltungswillens.
Die fränkische Fachwerkbauweise reicht von rein konstruktiver, zweckbetonter Faktur, etwa bei Scheunen und kleinen Bauernhäusern, bis hin zu reichverzierten Giebeln mit geschnitzten, sogar farbig gefaßten Balken. Unerschöpflich scheint die Phantasie der Zimmerleute gewesen zu sein, ständig wechselt der Aufbau von Fassaden und Giebeln. Ein belebendes Element ist das Vorkragen der Obergeschosse, vor allem das manchmal von Etage zu Etage verschiedenartig aufgebaute Balkengefüge. Auf diese Weise tritt gelegentlich ein drei- bis viermaliger Wechsel des Fachwerksystems innerhalb einer Hausfassade auf. Dazu vermied der fränkische Zimmermann gerne nüchterne Quadrate oder Rechtecke – das Motiv des „Wilden Mannes", Andreaskreuze, Fischgrätenmuster, radartige und scheibenähnliche Formen sorgen für unablässige Abwechslung und sich ständig schöpferisch wandelnde Gestaltung.

Franconian Timber-Frame Work

Scattered all over the country timber-framed plaster buildings are one of the features of Franconia. The contrast created by the frame-work, originally painted with ox-blood, and the white-plastered panels, is full of force and suspense. Typical examples are the market-place in Miltenberg and the townhall of Forchheim with its adjacent buildings. Multifarious and inventive is the finish of numerous Franconian timber-framed houses with varying patterns in the different regions. Rothenburg, Dinkelsbühl, Wolframs-Eschenbach, Staffelstein are highlights in a series of historic settlements with an abundance of timber-frame work. But also many a single building in otherwise plain surroundings is noteworthy. The few examples below stand for hundreds, if not thousands, of their kind: the "Historische Kunstmühle" in Ammerndorf, the inn "Rotes Roß" in Großhabersdorf, the slim building over the gate to the fortified church in Burgbernheim and the Stadtschreiberhaus in Bad Windsheim. Charming are the frequently projecting upper stories, often with a different frame pattern on each floor of a building. Leaving plain squares for stables and simple farm houses, the Franconian carpenters preferred to elaborate on motifs like the so-called "Wilde Mann", Andreaskreuz, or fish bone, wheel and disc patterns.

Maisons à Colombage en Franconie

La construction à colombage est indissociable de la Franconie. Elle donne à mainte localité dans son exécution caractéristique un style inimitable. Le contraste entre la charpente de bois peinte à l'origine avec du sang de bœuf et les métopes crépies en blanc est vigoureux et captivant. Tels par exemple la place du marché de Miltenberg ou l'hôtel de ville de Forchheim avec ses bâtisses avoisinantes. En outre les particularités locales sont nombreuses et originales. Staffelstein, Rothenburg, Dinkelsbühl, Wolframs-Eschenbach offrent chacune l'exemple admirable et différent de la construction à colombage. Mainte bâtisse particulière est digne aussi de considération; ainsi ces maisons dont les façades crépies en grès dominent villes et villages à Ammerndorf, Burgbernheim, à Großhabersdorf ou à Bad Windsheim.
La construction à colombage en Franconie peut répondre simplement au besoin de bâtir – granges ou petites fermes; elle se manifeste aussi dans les frontons abondamment décorés aux poutres taillées et parfois même colorées. Le premier étage en saillie, l'ordonnance des poutres différemment agençée d'un étage à l'autre donnent parfois à la façade d'une maison à colombage divers aspects.

Forchheim, Fachwerkbauten auf dem Marktplatz

Forchheim, Marketplace · Forchheim, Place du Marché

Franken darf sich rühmen, zu den burgenreichsten Gebieten des einstigen Heiligen Römischen Reiches Deutscher Nation zu zählen. Und wenn von dieser Fülle berichtet wird, dann muß auch von der gestalterischen Vielfalt, der immer wieder andersgearteten Funktion, vor allem der ständig wechselnden Bezugnahme zur Landschaft gesprochen werden. Die kontrastreiche fränkische Landschaft zwang eigene Gesetze auf, etwa den auf schmalen Bergrücken thronenden, schier waghalsigen Burgen der „Fränkischen Schweiz", den auf langen Bergspornen hingezogenen Burgen der Hohenlohe, oder den Rundburgen auf Bergkegeln wie Coburg und Virnsberg.
Anderen fortifikatorischen Gesetzen mußten die Talburgen folgen, die oft ausgeklügelter Weiher- und Kanalsysteme bedurften, um sich bewähren zu können. Mit diesen Wasserburgen, zum Beispiel Mespelbrunn und Sommersdorf, verbinden sich heute romantisch-idealisierende Vorstellungen von Anspruch, Bedeutung und Aufgabe einer Burg. Der vielfach, auch bei Höhenburgen, der einstigen Funktion widersprechende Baumbewuchs, die Einbettung in Wälder und sogar Parkanlagen haben dieses Bild geschaffen, das kaum mehr von der wilden Trutzigkeit und nüchternen Zweckbedeutung einer auf Selbstbehauptung angelegten Burg ahnen läßt.

Trotzdem haben viele Burgen Frankens charakteristische Züge bewahren können – etwa die selbst heute noch die Stadtlandschaft beherrschende Kaiserburg Nürnbergs, oder die auch als Ruine das gesamte Ortsbild souverän zusammenfassende Cadolzburg. Und von Abenberg bis zur Altenburg, von Colmberg bis Lauenstein, von der Mildenburg bis Rieneck – stets gewinnen die Burgen ihre Reize aus dem Verhältnis zu umgebender Siedlung und Landschaft, mag nun dieser oder jener Akzent überwiegen. Zwei Beispiele: Kipfenberg und Hohenstein, das Schicksal beider zugleich ist bezeichnend für manche Burg Frankens. Das vordem eichstättische Kipfenberg wird beherrscht von der mit einem mächtigen Bergfried versehenen Burg. Im vergangenen Jahrhundert war sie dem Abbruch preisgegeben – unsere Zeit schuf weitgehend das heutige Bild. Hohenstein prägt unnachahmlich die landschaftliche Umgebung. Seine Herren haben oft gewechselt, bis sich die Reichsstadt Nürnberg endgültig etablierte. Trotz vieler Einbußen hat sich die Burg Hohenstein als Wahrzeichen nachdrücklich behauptet.

Franconian Castles

Franconia can boast of being among those territories of the former Holy Roman Empire which had very many castles. Spurred on mountain ridges or enthroned on mountain cones – like in the Fränkische Schweiz, in Coburg or Virnsberg – they enjoyed enough strategic advantage to dominate the immediate surroundings. Their sisters in the flat land required additional fortification to defend their existence: Mespelbrunn and Sommersdorf may stand for many more which were protected by a moat system. Nowadays we tend to romanticize and idealize the meaning and purpose of these castles after they have been embedded in forests or even parks.
The fates of Kipfenberg and Hohenstein are typical for many a castle in Franconia: with its imposing dungeon Kipfenberg formerly belonged to the bishopric of Eichstätt. Torn down during the nineteenth century its present image stems widely from our time. During the centuries there were many patrons at Hohenstein before the city of the Reich of Nuremberg controlled it. Inspite of severe losses the castle of Hohenstein has continued to be a landmark.
Unapproachable and repelling at first sight, Franconia's castles, often ruinous, ivyclad and overgrown, have found their own special way of fitting in their surroundings.

Châteaux forts de la Franconie

La Franconie peut se vanter de compter parmi les régions les plus riches en châteaux forts. Cette multitude implique une variété créatrice, des fonctions toujours changeantes, une relation constamment variée entre paysage et château, dont il faut parler. Le paysage franconien qui a beaucoup de contrastes, imposait avec force ses propres lois: il est des châteaux trônant sur les croupes étroites de montagne de la «Suisse franconienne» ainsi que de la Hohenlohe; il est des châteaux forts circulaires surplombant les cônes de montagne à Coburg et Virnsberg.
A d'autres lois de fortifications devaient obéir les châteaux de la vallée qui eurent recours à un système raffiné de douve et de canalisation pour survivre. De nos jours, on joint à ces châteaux entourés d'eau des idées à la fois romantiques et idéalistes. En dépit de ce fait, nombre de châteaux de la Franconie ont pu sauvegarder leurs traits caractéristiques, tel le château impérial de Nuremberg ou tel la ruine de château à Cadolzburg. Pensons enfin à Kipfenberg et à Hohenstein dont la destinée est représentative pour maint château fort de la Franconie.

Burg Kipfenberg über dem Altmühltal

Castle of Kipfenberg · Château fort de Kipfenberg

Burg und Dorf Hohenstein

Castle of Hohenstein · Château fort de Hohenstein

Spätestens bei der 100. Wiederkehr der Schlacht bei Hohenfriedberg wurden Ansbach und Bayreuth endgültig Schwesterstädte, denn im neugeschaffenen Text des „Hohenfriedbergers" agierten sie für die Geschichte vereint: „Auf, Anspach Dragoner, auf, Anspach Bayreuth!" Und, in der Tat, die beiden Städte haben erstaunliche, mehr als nur zufällige Parallelen in ihrem historischen Werdegang: Ansbach wird 1221 erstmals als Stadt erwähnt, Bayreuth 1231; Bayreuth war dafür schon 1248 zollerisch, Ansbach 1331. Beide wurden Residenz- und Hauptstädte der Hohenzollern. Ihren Höhepunkt in absolutistischer Zeit erleben sie, als zwei Schwestern Friedrichs des Großen Markgräfinnen sind: Friederike Luise, nicht gerade überwältigend im Urteil der Geschichte weggekommen, in Ansbach; Wilhelmine, agiler und schöpferischer, in Bayreuth.
Aber es gibt noch andere Gemeinsamkeiten in Geschichte und Gegenwart beider Städte: Landessynode, Beamtentum, Bezirksregierungen, eingegangene Fayencemanufakturen, Hohenzollerngrablegen, Stellung von Truppen für Englands immer weniger siegreichen Amerika-Feldzug 1777... Oder wäre es fesselnder von den Unterschieden zu reden: Wagner-Festspiele in Bayreuth, die jüngere Bachwoche in Ansbach; baldige Universitätsgründung in Bayreuth, trotz zweier Anläufe vor 250 und 450 Jahren keine Anzeichen dafür in Ansbach; Jean Paul ruht in Bayreuth, Johann Peter Uz in Ansbach...
Vielleicht ist es am schönsten, vom Unverwechselbaren der beiden Markgrafenstädte zu sprechen, den selben Epochen entsprossen und dennoch nicht gleich, gemeinsamen Wurzeln entwachsen und trotz allem eigenständig: Ansbach mit seinem prächtigen Residenzschloß, der nüchternen Hofkirche St. Gumbertus, der barocken Synagoge, der weitgespannten Orangerie mit dem Hofgarten – Zeugnisse des Gestaltungswillens der Gabrieli, Zocha und Retty. Bayreuth mit dem köstlichen Neuen Schloß, dem virtuosen Opernhaus, St. Georgen, der Eremitage mit Park – St. Pierre, Bibiena, Räntz gaben hier Beispiele ihres großen Könnens. Und um diese Schwerpunkte, in Ansbach und Bayreuth, hat sich ein in Disziplin und Geschlossenheit ähnliches spätbarockes Stadtbild entwickelt: Dokument der Zeit, in der beide Gemeinwesen stolz als Haupt- und Residenzstädte fungierten.

Ansbach and Bayreuth

Since the centenary of the Battle of Hohenfriedberg (1745) at the latest Ansbach and Bayreuth were affiliated towns. And indeed, the two communities were connected by amazing, more than hazardous parallels in their historic development: Ansbach was first mentioned as a town in 1221, Bayreuth in 1231. Both soon became residences of the Hohenzollern. Sovereigns of both towns later married a sister of Frederick the Great of Prussia: Margrave Carl Wilhelm Friedrich of Ansbach wedded Friederike Luise and Friedrich of Bayreuth her sister Wilhelmine. Both sovereignties sent troups to support the British in the War of American Independence.
Since the feudal system has come to an end in Germany the two communities have had other features in common: the protestant synod of Bavaria, local governments with a remarkable officialdom. Both are ambitious cultural centres, the Bayreuth Wagner Festival being much older than the Bach Week in Ansbach. Both towns still are proud of the remaining edifices from their history as the Margraves' residences: the Palace and Orangery in Ansbach and the New Castle, the Eremitage and not to forget the gorgeous Opera House in Bayreuth. It seems that only the fascinating Caspar Hauser mystery in Ansbach has no parallel in Bayreuth.

Ansbach et Bayreuth

Ansbach et Bayreuth comportent beaucoup d'étonnants parallèles qui, vu leur évolution historique, sont loin d'être occasionnels. Ces deux villes, résidences et capitales des Hohenzollern, virent leur apogée à l'époque absolutiste. A cela s'ajoutent d'autres traits communs, pris dans le passé et le présent: synode national, fonctionnarisme, gouvernements du département, manufactures de faïence disparues, sépultures des Hohenzollern, mise en place de troupes destinées à la campagne d'Amérique (1777), remportant de moins en moins de victoires et menées par l'Angleterre ...
A part les différences entre ces deux villes – le Festival R. Wagner à Bayreuth et la plus récente Semaine Bach à Ansbach, par exemple – il vaudrait peut-être mieux vous parler de ce qui constitue leurs traits caractéristiques: Ansbach avec son somptueux château princier, sa sobre église de la cour Saint-Gumbertus, son Orangerie au vaste jardin – témoignages de la volonté créatrice de Gabrieli, Zocha et Retty; Bayreuth avec son précieux Château Neuf, sa salle de l'Opéra très adroite et son Ermitage – chef-d'œuvres de St. Pierre, Bibiena et Räntz.

Ansbach, Markgräfliche Orangerie im Hofgarten

Ansbach, Orangery of the Margraves · Ansbach, Orangerie margraviale

Bayreuth, Markgräfliches Opernhaus

Bayreuth, Opera-house of the Margraves · Bayreuth, Opéra margravial

„Bunt, lebendig, von fast italienischer Heiterkeit. Mit herrlichen Barockhäusern, die still und dunkel in der Sonne träumen, mit ungezählten Kirchen, durch die der Weihrauch duftet, mit Glocken, die nie müde werden zu singen.” – So beschreibt Carola von Crailsheim mit weiblich-poetischer Sensibilität das mehr als tausendjährige Bamberg. Im Jahre 1007 machte es Kaiser Heinrich II. zum Bischofssitz und Zentrum eigener Politik. Seitdem ist das Schicksal der Stadt an und über der Regnitz vornehmlich durch die geistlichen Herren bestimmt worden, die oben auf den Höhen, den „sieben Hügeln”, regierten und residierten. Selbst heute drückt dies Bambergs Stadtsilhouette noch aus: über der bürgerlichen Stadt mit ihrem originellen Rathaus thront die geistliche, Domberg und Michelsberg, mit ihrer weitgehend ungestörten Bebauung – in der Ganzheit eine der schönsten Stadtlandschaften.
Bamberg aber fasziniert auch durch das einzelne Kunstwerk, seine Kirchen, Palais und Kurienhöfe – eine beeindruckende Abfolge von Bildern einer barocken Residenz, die gleichzeitig durch gewichtige Akzente des Mittelalters gekennzeichnet wird. Dies beginnt beim Dom, einem mitreißenden Bauzeugnis an der Wende der Romanik zur Gotik, mit seinen berühmten Steinbildwerken des 13. Jahrhunderts: den Aposteln und Propheten, Maria und Elisabeth, dem legendären „Reiter”, immer wieder Objekt idealisierender Deutungen. Aber auch spätere Epochen sind mit herrlichen Werken vertreten – von Tilman Riemenschneider, Veit Stoß, Loy Hering.
Begeisternd ist nicht nur die Qualität, sondern auch die Fülle Bamberger Kunstschätze; der Krieg hat hier nur wenige Wunden geschlagen. Neben dem Dom die von Johann Leonhard Dientzenhofer gestaltete Neue Hofhaltung, unweit das Kapitelhaus von Balthasar Neumann. Nördlich grüßt St. Michael mit seiner barock ausgestalteten Basilika, lange Benediktinerkloster und bis heute unverwechselbare Dominante der Stadt. Es wäre zu sprechen vom romanischen St. Jakob, der gotischen Oberen Pfarrkirche, der mittelalterlichen Altenburg. Und nicht zu vergessen: das bürgerliche Bamberg mit seinem Reichtum an ständig abgewandelten Barockbauten – bis hin zum bescheiden-romantischen Ausklang von Klein-Venedig.

Bamberg

”Colourful and lively, of almost Italian gaiety. With magnificent baroque buildings dusky and silent dreaming in the sun, with uncounted churches fragrant of incense, with the never-tiring songs of bells” – This depiction of Bamberg was given by the Franconian poetess Carola von Crailsheim. Anno Domini 1007 Emperor Henry II made Bamberg a bishops' seat with independent regional policy. The town's development has since been controlled by its spiritual sovereigns, who have reigned from the tops of the ”seven hills” of Bamberg, the Eternal City of Rome's subordinate sister. To this day the ecclesiastical premises on the Domberg and Michelsberg dominate the silhouette of the secular settlement below – as a whole Bamberg offers one of the most beautiful town sceneries. The bishop's cathedral on the Domberg stands out among the other noteworthy buildings. Apart from its spiritual vocation it superbly denotes the transition from the Romanesque to the Gothic eras. The equestrian statue of the ”Bamberger Reiter”, bestowed with legendary fame, is the best-known among the many sculptures originating in the thirteenth century. The cathedral's rich outfit also includes the tombs of Emperor Henry II and Empress Kunigunde. Next to the God's House are the residencies. Bamberg and its innumerable sights were widely spared from war destruction.

Bamberg

C'est en 1007 que l'empereur Heinrich II fit de Bamberg son évêché et le centre de sa politique. Depuis, la destinée de la ville sur la Regnitz a été influencée avant tout par le clergé résidant sur les «sept collines». Cela est perceptible aujourd'hui encore dans sa physionomie même: au-dessus de la ville bourgeoise avec son hôtel de ville original trône la ville spirituelle; l'ensemble constituant un site d'une beauté rarement égalée. Toutefois Bamberg fascine aussi par l'élément artistique seul, par ses églises, ses palais, les cours de sa curie, suite impressionnante d'images d'une résidence baroque, caractérisée en même temps par des accents moyenâgeux importants.
Cela commence par la cathédrale avec ses célèbres statues de pierre du 13e siècle et dont l'architecture témoigne admirablement du passage de style roman au style gothique. Mais des époques ultérieures sont également représentées par des œuvres magnifiques des Tilman Riemenschneider, des Veit Stoß, des Loy Hering. C'est dire que la qualité autant que la plénitude des trésors d'art bambergeois exaltent. La guerre n'a infligé ici que de rares blessures.

Bamberg, Altstadt mit Domberg, Michelsberg und Rathaus

Bamberg, City · Bamberg, Cité

Bamberg, Kleinvenedig an der Regnitz

Bamberg, "Little Venice" · Bamberg, Petite Venise

„Von einem weitläufigen Garten umgeben und auf einer mäßigen Anhöhe gelegen überschaut das Schloß mit seinen vier Flügeln weithin die an sich sonst nicht eben reizende, flachhügelige Gegend. Der Eintritt selbst überrascht durch eine gewaltige Säulenhalle, mit großem in Fresko gemalten Plafond, und von hier aus wird man ... in die lange Reihe von Sälen und Zimmern geführt, wo die trefflichen Gemälde sich finden ... Eins, ein Eckzimmer, zeichnet sich besonders aus durch die Bekleidung aller Wände und selbst der Decke mit Spiegeltafeln, über welche eine unsägliche Menge bronzener, vergoldeter Arabesken gelegt war ... Außerdem die Arbeiten von Marmor, die Humpen von schön geschnitztem Elfenbein, das treffliche Porzellan, viele kleine Bildwerke ... sie bewiesen sämtlich, daß diese geistlichen Fürsten gar wohl wußten, die Pracht der Erde mit den Gütern des Himmels zu vereinigen!"
Dieses Schloß steht in Pommersfelden und heißt Weißenstein, der Berichterstatter besuchte es 1821 und heißt Carl Gustav Carus. Jener geistliche Fürst aber mit seiner unverhüllten Neigung zu weltlicher Pracht war Lothar Franz von Schönborn, der 1655 geborene fünfte Sohn Philipp Erwins, seit 1693 Bischof von Bamberg, seit 1695 Erzbischof und Kurfürst von Mainz. Er gilt als der „Erzbaumeister" seiner Familie, er, der geistliche Souverän, dem die Errichtung von repräsentativen Profanbauten mindestens so wichtig wie der Bau von Kirchen war – die Neue Hofhaltung in Bamberg und das Schloß Weißenstein sind dafür sinnfällige Beispiele. Das persönlichste Zeugnis Lothar Franz' aber ist Weißenstein, das von 1711 bis 1716 in einem Zug gebaut wurde – ein für das Zeitalter unerhörtes Bautempo. Johann Dientzenhofer ist der grundlegende Architekt, später nahm Johann Lukas von Hildebrandt Einfluß, der Mainzer Maximilian von Welsch fügte den überraschend eleganten Marstall hinzu. Das Gesamtergebnis ist eine der ersten großen Schloßbauleistungen des noch jungen 18. Jahrhunderts, eine maßgebende dazu. Das Treppenhaus – der Fürst bezeichnet es als seine „Invention" – weist in die Zukunft, eröffnet jene Reihe barocker Treppenhäuser, die prunkvoller Selbstinszenierung dienen. Erwähnt werden muß aber auch das Spiegelkabinett, der Marmorsaal, die Große Galerie, die manieristische Sala terrena mit ihrer „grottesken" Ausstattung ...

Pommersfelden Palace

A tourist travelling on the autobahn from Frankfurt to Nuremberg, or vice versa, will come to the exit "Bamberg", northwest of Nuremberg. Here he should risk a detour of less than ten miles to Pommersfelden, where, between 1711 and 1716, Duke Electorate of Mainz and Archbishop of Bamberg, Lothar Franz von Schönborn, in less than six years, built one of the most remarkable country residences of his time in Germany. This palace in Pommersfelden is the most personal testimony of Lothar Franz' costly, but fruitful idiosyncrasy and compulsion to build. If the idea to construct a three-winged "Versailles" in these otherwise barely attractive surroundings was born in the sovereign's mind, its realization lay in the competent hands of master-builder Johann Dientzenhofer, later supported by Hildebrandt. The elegant coach stable was added by Maximilian von Welsch.
Upon entering the centre wing of the main building, the appreciative visitor finds himself in what the patron Lothar Franz called his own "invention": a lovingly elaborate staircase, in fact the first of its kind. From there one is taken into the Cabinet of Mirrors; the Marble Hall; the comprehensive collection of paintings, exhibited in sixteen rooms and including artists of international renown; the Sala Terrena, a manneristic grotto with its fantastic finish.

Le château de Pommersfelden

Le château de Weißenstein, chanté en 1821 par Carl Gustav Carus, se trouve à Pommersfelden. Les princes spirituels ont démontré combien ils savaient réunir le faste de la terre aux biens du ciel. C'est particulièrement Lothar Franz von Schönborn, né en 1655 qui ne se cachait pas d'être attaché aux biens de ce monde. Il passe pour le «grand constructeur» de sa famille. L'édification de bâtisses profanes et représentatives était pour lui aussi importante que la construction d'églises. Citons en exemples évidents la Nouvelle Résidence à Bamberg et le château de Weißenstein. Toutefois le témoignage le plus personnel reste Weißenstein bâti de 1711 à 1716 d'un seul trait. Johann Dientzenhofer est son architecte fondateur, plus tard J.L. Hildebrandt y exerça son influence, et Maximilian von Welsch de Mayence ajouta l'écurie royale qui étonne par son élégance. L'ensemble de ce château égale une belle performance de construction du 18e siècle encore jeune. La volée d'escalier – le Prince l'appelait son «invention» – vise le futur en ouvrant la série des volées d'escalier baroques qui prône un fastueux narcissisme.

Pommersfelden, Treppenhaus des Schlosses Weißenstein

Pommersfelden, Staircase of the Palace · Pommersfelden, Escaliers du Château

Wer von den historischen Metropolen Frankens spricht – etwa Würzburg und Bamberg, Nürnberg und Rothenburg, Ansbach und Bayreuth – vergißt allzu leicht, daß in dieser politisch vielgliedrigen Landschaft zwischen Aschaffenburg und Eichstätt sich noch anderer, ungeahnter Reichtum verbirgt. Dies gilt gerade für das südliche Franken, seine Reichsstädte, die Besitzungen des Deutschordens, die einst ansbachischen oder hochstiftisch-eichstättischen Landstädte. Ihnen allen gerecht zu werden, verbietet die Fülle an architektonischer und landschaftlicher Schönheit. Stellvertretend müssen drei Städte hier stehen, die sich bereits in das Bewußtsein der Freunde mittelalterlicher Baukunst eingegraben haben: Dinkelsbühl, Feuchtwangen und Weißenburg.
Im Tal der Wörnitz liegt die Reichsstadt Dinkelsbühl. Hier kreuzende Handelswege und die gesicherte Flußfurt waren Grundlagen ihres Aufstiegs. Das Stadtbild wird in der Vollständigkeit seiner Erhaltung zu Recht überall geschätzt. Sein Reichtum an Fachwerkbauten, der geschlossene Bering und vor allem die spätgotische Pfarrkirche St. Georg, eine der schönsten Hallenkirchen Deutschlands, haben den Ruf Dinkelsbühls begründet. Die Stadt an der Wörnitz wirkt nicht spektakulär, aber unvergeßlich ist ihre behäbig-harmonische Atmosphäre, die ruhige Souveränität ihres Gesamtbildes.

Nur wenig entfernt hat sich das gleichfalls dem Reich zugehörige Feuchtwangen behauptet. Allerdings mußte der auf die Zeit Karls des Großen zurückgehende Ort einen anderen geschichtlichen Weg einschlagen, als die Vogtei an die Zollern verpfändet worden war und Feuchtwangen sich nicht mehr auslösen konnte: Brandenburg-Ansbach bestimmte schließlich sein Geschick. An das einstige Stift aber erinnern die gedrungene Kirche mit einem Altar Michael Wolgemuts und der spätromanische Kreuzgang, heute Heimstätte stimmungsvoller Festspiele.
Einen stolzen Eindruck macht Weißenburg, vor allem, wenn sich wie eine glanzvoll-kriegerische Fanfare als erstes das Ellinger Tor präsentiert. Von ihm grüßen die Insignien des Reiches und eines selbstbewußten Bürgertums, das „man an kein frembd Gericht laden” durfte. Und wenn der Chronist 1702 meint, daß die Stadt „zwo schöne Kirchen / ein fein Rathhaus” hat, so deutete er nur einen Teil jenes historischen Baubestandes an, der die Reichsstadt von ehedem noch immer sehenswert macht.

In Southern Franconia

Speaking of the historic metropolises of Franconia, such as Würzburg and Bamberg, Nuremberg and Rothenburg, Ansbach and Bayreuth, one is apt to forget the manifold other riches of this politically variegated area between Aschaffenburg and Eichstätt. Particularly southern Franconia holds a number of cities of the Reich, and possessions of the Teutonic Order as well as country towns which formerly belonged to the Margraves of Ansbach or to the Bishopric of Eichstätt. We shall pick out three such towns – Dinkelsbühl, Feuchtwangen and Weißenburg.
The city of the Reich Dinkelsbühl is situated on the river Wörnitz and appreciated by admirers of a homogeneous Medieval town image. The late Gothic parish church St. George has helped to found the fame of this town.
Not far away, Feuchtwangen, dating back to the time of Charlemagne, was also a foundation of the Reich, which later on became a possession of the Margraves of Brandenburg-Ansbach. The portly church and its late Romanesque cloister are reminiscences of the former monastery.
Proud and gorgeous, Weißenburg presents herself to the visitor entering the town through the Ellingen Gate with the insignia of the Reich and those of a self-confident citizenship. Two churches, a pretty townhall and imposing fortifications still mark the former city of the Reich.

Dans la Franconie du Sud

Quiconque parle des métropoles historiques de la Franconie – Würzburg et Bamberg, Nuremberg et Rothenburg, Ansbach et Bayreuth – oublie trop facilement que se cachent d'autres richesses insoupçonnées dans cette région très diversifiée politiquement qui va d'Aschaffenburg à Eichstätt. Considérons, par exemple, le Sud de la Franconie et ses villes d'empire, dont les plus représentatives sont au nombre de trois: Dinkelsbühl, Feuchtwangen et Weißenburg.
Dinkelsbühl se trouve dans la vallée de la Wörnitz. Centre de routes commerciales, elle connut un rapide essor. L'abondance de ses maisons à colombage, ses remparts et surtout l'église Saint-Georges en gothique tardif ont établi la renommée de Dinkelsbühl. – Non loin de là, Feuchtwangen, dont la célébrité n'est pas moindre. Du couvent de naguère on peut encore admirer l'église solidement bâtie avec un autel de Michael Wolgemut et le cloître en style roman tardif. – Weißenburg, quant à elle, produit une forte impression, surtout lorsqu'on aperçoit en premier la Porte d'Ellingen, du haut de laquelle vous saluent les insignes de l'empire.

Dinkelsbühl, Hezelhof aus dem Spätmittelalter

Dinkelsbühl, medieval Hezelhof · Dinkelsbühl, Hezelhof du Moyen Age

Dinkelsbühl, Rothenburger Weiher und Faulturm

Dinkelsbühl, Town Wall · Dinkelsbühl, Mur d'Enceinte

Weißenburg, Ellinger Tor und Andreaskirche

Weißenburg, Ellingen Gate · Weißenburg, Porte d'Ellingen

Feuchtwangen, romanischer Kreuzgang

Feuchtwangen, Cloister · Feuchtwangen, Cloître

„Diese ist eine fast alte und wohlgebaute, aber nicht gar große Stadt im Lande zu Francken ... Sie liegt gegen Niedergang auf einem sehr hohen Berge, in dessen Thale die Tauber gegen Mitternacht zu fleußt ... Gegen dieser Tauber-Seiten soll sie einen Prospect präsentieren, welcher der Stadt Jerusalem nicht ungleich seye." So berichtete Melchior Adam Pastorius zu Beginn des galanten Zeitalters, als freilich das Auge noch nicht geöffnet war für die Schönheiten Rothenburgs. Dies geschah erst ein Jahrhundert später, als die Stadt über der Tauber in den Märchenillustrationen Ludwig Richters reflektiert wurde, als der Kulturhistoriker Wilhelm Heinrich Riehl urteilte: „Gar manche deutsche Stadt hat noch alte Mauern und Türme, allein ein so geschlossenes System größtenteils echt mittelaltriger Festungswerke, die der ganzen Stadt das Ansehen einer großen Burg geben, wird sich selten wiederfinden." Und Riehl hatte noch größere Komplimente bereit: „Im Innern ist Rothenburg von allen altertümlichen deutschen Städten, welche ich kenne, weitaus die altertümlichste, die am reinsten mittelalterliche." In der Tat, die Tauberstadt, oft verglichen mit Jerusalem und Carcassonne, ist der Inbegriff einer mittelalterlichen Stadt geworden. Ihr Schicksal als Reichsstadt war mit den Höhen und Tiefen kaiserlicher Politik verbunden. Der Niedergang nach dem Dreißigjährigen Krieg, das Vergessensein im Zeitalter der ersten Industrialisierung, die Lage abseits der modernen Verkehrsverbindungen, haben Rothenburg, zumindest die Altstadt, vor größeren Zerstörungen und nachhaltigen Veränderungen bewahrt. Rothenburg besitzt unvergleichlichen Eigencharakter, es ist unverwechselbar, nichts ist austauschbar. Dies beginnt beim Rathaus, dem Doppelwesen aus Gotik und Renaissance, dies setzt sich fort bei St. Jakob mit dem Heilig-Blut-Altar Tilman Riemenschneiders, der durch Jahrhunderte gewachsenen Stadtbefestigung mit ihren ständig variierten Toren, der unerschöpflichen Fülle von Fachwerkbauten der Bürger bis zum Baumeisterhaus mit seiner reichen Sandsteinfassade. Und wer der Details müde ist, der wird sich neu fesseln lassen von der Gesamtwirkung dieser Stadt, vom Plönlein, von der Herrenstraße, vom Markt ... von Einheit und Vielfalt der freien Stadt des alten Heiligen Römischen Reiches.

Rothenburg on the Tauber

Often compared with the holy town of Jerusalem, Rothenburg is the prototype of a Medieval town in Germany. Its fate as a city of the Reich was linked to the ups and downs of the imperial policy. Rothenburg's decline after the Thirty Years' War, its state of "forgottenness" during the time of the beginning industrialization, its situation off the main road and rail connections have saved Rothenburg, or at least the old city, from major destruction or lasting alterations and modernisation. Rothenburg still has an uncomparable character of its own, it is unmistakable, everything is unique. This is evident if one looks at the townhall, a creation of both Gothic and Renaissance styles, or St. Jakob with its Tilman Riemenschneider Altar "Holy Blood", or its fortifications grown over centuries and incorporating a variety of gates, and last not least the inexhaustible diversity of timber-framed houses, which still belong to private inhabitants of the town. And whoever is tired of details should just stroll through the streets enjoying the atmosphere of this old town, and he will hardly fail being captivated by the Plönlein, the Herrenstraße, the market place, etc.
To round off a visit of Rothenburg one should drive or walk down into the Tauber valley, from where the silhouette of the free city of the old Holy Roman Empire stands imposingly against the sky.

Rothenburg sur la Tauber

C'est un siècle après la naissance de l'époque galante que l'on découvrit la beauté de la ville de Rothenburg. Richter la fait se refléter dans ses illustrations féeriques, et selon l'historien W. H. Riehl, spécialisé dans l'étude des civilisations, «il est fort rare qu'on retrouve parmi les villes allemandes du Moyen Age un système d'une unité aussi parfaite que celle de Rothenburg, formée en majeure partie d'authentiques ouvrages fortifiés datant du Moyen Age et donnant à toute la ville l'aspect d'un immense château fort».
Riehl disposait de compliments encore plus flatteurs à l'égard de Rothenburg, tel celui-ci: «De toutes les villes antiques que je connaisse en Allemagne, c'est Rothenburg qui de loin a les racines les plus antiques, les plus purement moyenâgeuses.» En effet, Rothenburg, comparée souvent à Jérusalem et à Carcassonne, est devenue la quintessence d'une ville du Moyen Age. De plus, étant donné le caractère unique et immuable de Rothenburg, rien ne peut y être transformé. Et le visiteur, lorsqu'il se sera lassé de la multitude des détails, se laissera à nouveau frapper par l'impression générale de la ville.

Rothenburg und die mittelalterliche Doppelbrücke über die Tauber

Rothenburg and the Double Bridge · Rothenburg et le Pont double

Rothenburg, Röderbogen und Markusturm

Rothenburg, Röder Gate and Markus Tower · Rothenburg, Voûte Röder et Tour de Saint Marc

Rothenburg, Gerlach-Schmiede und Stadtmauer

Rothenburg, Blacksmithy and Town Wall · Rothenburg, Forge et Enceinte

Zu den kostbarsten Schätzen fränkischer Kirchen gehört spätmittelalterliche Plastik, vornehmlich Holzschnitzerei, die sich in unzähligen Altären, Christusdarstellungen und Heiligenfiguren manifestiert. Dabei spielt es kaum eine Rolle, ob Dorfkirchen oder Dome aufgesucht werden – eine erstaunliche Fülle und eine teilweise künstlerisch nicht mehr überbotene Qualität sind zu verzeichnen. Und wenn von unübertroffener schöpferischer und handwerklicher Höhe die Rede ist, stehen zwei Meister autonom im Mittelpunkt, deren Leistungen epochale Maßstäbe gesetzt haben: Veit Stoß in Nürnberg, Tilman Riemenschneider in Würzburg.
Diese Leistungen haben sie nicht nur als „pildschnitzer" erbracht – auch als Steinbildhauer überragen sie ihre Zeit (Adam Kraft ausgenommen); Veit Stoß war sogar als Maler tätig und arbeitete in Metall.
Ungeklärt blieb bis heute die Herkunft von Veit Stoß, sein Werk jedoch ist unlöslich mit der Kunst Nürnbergs verbunden, wo die bedeutendsten Arbeiten bewahrt werden, wenn man vom Krakauer und Bamberger Altar absieht. Die beiden Pfarrkirchen St. Sebald und St. Lorenz beherbergen eine Reihe seiner schönsten Schöpfungen, Ergebnisse patrizischer Aufträge. Aber auch das Germanische Nationalmuseum darf sich rühmen, die dynamische, zuweilen geradezu auflodernde Plastik von Veit Stoß in einer begeisternden Reihe von Holz- und Steinbildwerken präsentieren zu können.
Feinnerviger dagegen wirkt Tilman Riemenschneider, ein Norddeutscher aus Osterode am Harz, dessen Werke Inbegriff mainfränkischer Kunst geworden sind.
Die Kirchen mit den großen Zeugnissen seines Schaffens sind geradezu Wallfahrtsorte geworden, unter ihnen Rothenburgs Jakobskirche mit dem Heiligblutaltar, die kleine Dettwanger Pfarrkirche und ihr Kreuzaltar, natürlich auch der Marienaltar in der Herrgottskirche bei Creglingen mit seiner verklärten Gelöstheit. Vor allem aber ist Würzburg zu nennen, sein Dom, die Marienkapelle und der reichhaltige Saal im Mainfränkischen Museum mit Riemenschneiders Werken in Holz und Stein.
Wenn von Stoß und Riemenschneider gesprochen wurde, dann muß auch an manchen unbekannten fränkischen Plastiker erinnert werden, der am Ende des Mittelalters arbeitete, dessen Name aber durch die Unbilden der Zeit nicht überliefert ist.

Franconian Sculptors

The breathtaking surprise in many Franconian churches is late Medieval plastic, mostly carved in wood. Numerous altars, representations of Christ or saints tell of their creators' deep piety and skill. Two such artists stand out and have remained the unreached ideals of their multiple scholars: Veit Stoß in Nuremberg and Tilman Riemenschneider in Würzburg. Under their gifted hands a piece of wood, stone, or metal was transformed into a dynamic, spirited work of art.
Veit Stoß was presumably not born in Nuremberg, where most of his works have been preserved to this day. The parish churches of St. Sebaldus and St. Laurence are adorned by a number of his sculptures. Another series of creations are exhibited in the Germanic National Museum. More refined but just as fervent is the art of Tilman Riemenschneider, who came to Würzburg as an alien from Northern Germany. The churches holding Riemenschneider altars have become something like modern places of pilgrimage, such as St. Jakob in Rothenburg with its Heiligblutaltar, or, in the Tauber valley, the small parish church in Dettwang and its Kreuzaltar, and further down the river the famous Marienaltar in the Herrgottskirche near Creglingen. Numerous sculptures in wood or stone are to be found in Würzburg's Cathedral, Marienkapelle and Mainfränkische Museum.

Sculpteurs sur bois franconiens

La sculpture de la fin du Moyen Age et principalement la sculpture sur bois, telle qu'elle apparaît dans d'innombrables autels, dans des représentations du Christ et des saints, fait partie des plus précieux trésors des églises franconiennes. La qualité des œuvres est étonnante et leur qualité artistique n'a été d'un certain côté que rarement dépassée. Les deux maîtres les plus représentatifs de cette époque sont Veit Stoß à Nuremberg et Tilman Riemenschneider à Würzburg.
Jusqu' à maintenant, l'origine de Veit Stoß est restée inexpliquée; son œuvre cependant est étroitement liée à l'art de Nuremberg où sont conservés les ouvrages les plus importants. Les deux églises Saint-Sébald et Saint-Laurent renferment une série des plus belles créations; de même le Musée National Germanique.
Les églises possédant des témoignages de l'œuvre de Tilman Riemenschneider sont devenues des lieux de pèlerinage; citons par exemple la «Jakobskirche» à Rothenburg ou l'église de Dettwang. Mais surtout Würzburg dont la cathédrale, la chapelle de Marie et le Musée franconien sont riches en ouvrages sur bois ou sur pierre de Riemenschneider.

Schwabach, spätgotischer Altarflügel in der Stadtkirche

Schwabach, Altar in the Parish Church · Schwabach, Autel de l'Eglise paroissiale

Das stille Städtchen Weikersheim mit seinem mächtigen Schloß gehört zu Baden-Württemberg. Wenn aber vom historischen Franken die Rede ist, darf es dennoch hier rangieren. Jahrhunderte nämlich zählte Weikersheim mit seinen Herren aus dem „Hochgräfflichen Haus Hohenlohe" zum Fränkischen Reichskreis. Vielfältig sind auch heute noch die Beziehungen und Verflechtungen zwischen dem westlichen Mittelfranken und dem Hohenloher Raum. Und was hier für Weikersheim gilt, trifft auch für die anderen Herrschaften der Hohenlohe zu: Neuenstein mit Künzelsau, Waldenburg, Langenburg mit Kirchberg. Nur Schillingsfürst war zum Königreich Bayern und nicht zu Württemberg gekommen, als die napoleonische Flurbereinigung das gesprenkelte Bild der deutschen Landkarten rigoros vereinfachte. Die selbständige Geschichte des Hauses Hohenlohe war damit jedenfalls beendet.
Dabei hatte der Weg des Hauses einmal in die Zentren mittelalterlicher Politik geführt. Allein, die ständigen Erbteilungen verhinderten den Aufbau eines geschlossenen Territoriums von Bedeutung. Der Chronist Pastorius berichtet dazu, daß die Hohenlohe in großer „Anzahl in Teutschlande floriret" hätten. Und wenn von vielen Zweigen der Familie die Rede ist, ahnt der Kunstfreund bereits den Reiz des Hohenloher Landes, denn jeder dieser Zweige, von Brauneck bis über Öhringen hinaus, wollte seine Burg, sein Schloß, seine Residenz haben.
Einer der wichtigsten Stützpunkte war Weikersheim, wo die Hohenlohe 1153 erstmals genannt werden. Von der Weikersheimer Linie stammen alle heutigen Hohenlohe ab, Grund genug, daß das dortige Schloß hier den Reigen der Hohenlohe-Residenzen vertritt. Bereits der barocke Marktplatz des Städtchens Weikersheim ist sorgsam ausgewogener Akkord zu den fürstlichen Bauten. Arkaden führen zum Schloß, dessen Hauptbau ein gewichtiger Zeuge des späten 16. Jahrhunderts ist – wie auch der grandiose Rittersaal, der mit seiner Zweigeschossigkeit als einer der größten Räume der deutschen Renaissance gilt: 38 x 12 x 9 Meter. Einzigartig die stukkierten jagdbaren Tiere mit echten Geweihen, die riesige Kassettendecke mit den Malereien Balthasar Katzenbergers. Begeisternd aber ist auch die unerhörte Kraft, die der Rittersaal ausstrahlt – Reminiszenz des einstigen Glanzes der Hohenlohe.

A visitor of Rothenburg following the lovely Tauber valley through Creglingen to Bad Mergentheim will come through the former residency of the House of Hohenlohe, the town of Weikersheim, where the Hohenlohe family was first mentioned in 1153. This house once possessed large tracks of land in southern Germany: Neuenstein with Künzelsau, Waldenburg and Schillingsfürst, Langenburg and Kirchberg – not to forget Weikersheim, which will here stand for the numerous estates of the Counts of Hohenlohe, since all still flourishing branches of this house descend from the Weikersheim lineage.
The baroque marketplace of the little town introduces the atmosphere which prevails in the feudal seat behind. The visitor entering the castle through arcades will find himself faced with an outstanding example of late sixteenth century architecture. The grandiose knights' hall with its 38 by 12 by 9 metres fills two stories and is one of the largest halls in Germany dating back into the Renaissance. Unique also are its tremendous hunting scenes in stucco and its coffered ceiling painted by Balthasar Katzenberger. The park behind the castle fascinates, among others, by the line of charming, humorous plastics presumably of characters among the court staff. The whole is an incomparable reminiscence of the former splendour of the House of Hohenlohe.

La petite ville tranquille de Weikersheim, avec son immense château, fait partie de Baden-Württemberg mais doit être mentionnée lorsque l'on parle de l'histoire de la Franconie, puisque pendant des siècles elle se trouva au sein de la Franconie grâce aux seigneurs qui appartenaient à la maison des Hohenlohe. Mais les successions répétées de cette famille entraînèrent des divisions constantes et empêchèrent de constituer un territoire important.
Lorsqu'on parle des nombreuses branches de cette famille, l'amateur d'art prévoit déjà le charme que peut avoir cette province des Hohenlohe, puisque chacune de ces branches, de Brauneck à Öhringen et au-delà même, a voulu avoir son château fort, son château de plaisance et sa Résidence.
C'est en 1153 à Weikersheim que les Hohenlohe furent nommés pour la première fois. De la lignée de Weikersheim sont issus tous les Hohenlohe d'aujourd'hui. Cela explique suffisamment que le château soit représentatif de toutes les résidences des Hohenlohe, de même que la petite place du marché en style baroque est en accord avec les bâtisses princières. Des témoignages de la fin du 16ᵉ siècle apparaissent dans le château: le bâtiment principal, la salle d'armes à deux étages. Uniques sont les animaux en stuc aux ramures véritables.

Weikersheim, Rittersaal des Schlosses

Castle of Weikersheim · Château de Weikersheim

Schloß Mespelbrunn

Vor mehr als 550 Jahren gab es in einem ruhigen Winkel des Spessarts, genauer in einem Seitental der Elsava, eine Wüstung und Hofstätte „genannt der Espelborn". Der Mainzer Erzbischof beschenkte damit Hermann Echter, seinen treuen Vizedom von Aschaffenburg und Forstmeister im Spessart. Bald entstand ein Rundturm; über 100 Jahre vergingen aber, bis die Wasserburg geschaffen war, wie sie im wesentlichen heute das Auge erfreut. Peter Echter hieß ihr maßgebender Erbauer, der Vater jenes hochbedeutenden Julius Echter von Mespelbrunn, der als Fürstbischof einer der größten Bauherren in Würzburgs Geschichte werden sollte.

Mespelbrunn wurde eine Kostbarkeit außergewöhnlichen Ranges, nicht wegen eines wehrhaften Charakters etwa, sondern der ungetrübten Verschmelzung des Schlosses mit der Landschaft. Hier entstand ein architektonisches Werk, das jeglicher Monumentalität und Schwere entbehrt, obwohl das Spätmittelalter und die Renaissance bauten. Mespelbrunn ist poetisch und malerisch, im besten Sinne, auch wenn manches Detail von Außenanlage und Inneneinrichtung erst Frucht romantischer Restaurierung ist. Eine beglückende Stille regiert an der einstigen Stätte des „Espelborns". Graben und Teich um das Schloß erhöhen diese Wirkung, steigern durch ihre Spiegelungen das optische Wechselspiel. Das Wehrhafte wird unbewußt; eine milde Stimmung umfängt die fein miteinander harmonierenden Bauten in ihren fast zierlichen Dimensionen. Mespelbrunn wirkt eher als stiller Zufluchtsort, denn als laut sich gebärdendes Schloß – Repräsentation wurde sublimiert, kein Machtanspruch läßt sich spüren. Sicher ist Mespelbrunn deshalb besonders liebenswert, ja intim. Trotz und Abweisung sind hier fremd. Dem träumerischen Spiel mit der Vergangenheit, der romantischen Verklärung der Geschichte werden keine Schranken gesetzt. Vor allem aber ist das Schloß verwoben mit der freundlichen Waldkulisse des Spessarts – ein selten glücklicher Akkord von Landschaft und Architektur. Dieses Bild bleibt auch im Inneren gegenwärtig, im Rittersaal, der Kapelle, dem Ahnensaal, vor den Erinnerungen an den großen Julius Echter. Und sicher werden die Kontinuität der Geschichte und die Atmosphäre von Mespelbrunn auch durch seinen heutigen Besitzer repräsentiert, dessen Vorfahr sich 1665 mit dem Hause Echter verband und die Familientradition weiterführte: den Reichsgrafen von Ingelheim genannt Echter von Mespelbrunn.

Mespelbrunn Castle

Hidden and surrounded by large forests Mespelbrunn is situated in a remote valley of the Spessart. Some 450 years ago Peter Echter, father of the significant Prince-Bishop of Würzburg Julius Echter, completed what had been a Medieval country seat. Minor alterations in 1904 have given the castle a romantic touch without impairing the elegance of its Renaissance style, which has been preserved throughout the centuries.
Fortified and moated Mespelbrunn was as belligerent as any other castle of its time, but it has never been conquered or destroyed, which certainly is an exception. A twentieth century visitor, being confronted with what he classifies as sublime romanticism and mysterious my-home-is-my-castle philosophy, will hardly sense its former armipotency. It resembles more a place of retreat than a feudal seat from where a sovereign's power was exerted. This impression remains alive also in the interior – the Knights' Hall, Chapel and Ancestral Hall, where the interested visitor will find many reminiscences of the great Julius Echter, who was one of the outstanding patrons of Würzburg's architectural history. Since 1665 to this day the Counts of Ingelheim have possessed and inhabited the charming castle of Mespelbrunn, a snug corner of Germany, which has been used as a scenery for a very popular German motion-picture.

Le château de Mespelbrunn

Il y a plus de 550 ans, dans un coin tranquille du Spessart, se dressait une petite résidence au milieu d'une région déserte. L'archevêque de Mayence l'offrit à Hermann Echter, et bientôt s'éleva une tour circulaire. Ce n'est cependant que 100 ans après que l'on créa le château entouré d'eau tel qu'il est aujourd'hui encore.
L'intérêt exceptionnel que présente Mespelbrunn vient surtout de l'harmonie parfaite entre le château et le paysage. Mespelbrunn est plein de poésie et de pittoresque, même si dans sa disposition extérieure et son aménagement intérieur, maints détails sont le fruit de la restauration romantique. Un calme réjouissant règne à l'endroit constitué à l'origine par la résidence d'Espelborn, effet renforcé par le fossé et l'étang autour du château.
Nous retrouvons la même chose à l'intérieur, dans la salle d'armes, la chapelle, la galerie des ancêtres. Et aujourd'hui la continuité de l'histoire et de l'atmosphère de Mespelbrunn sont toujours représentées grâce au propriétaire actuel dont les aïeux en 1665 se lièrent à la maison Echter: le comte d'Ingelheim nommé Echter von Mespelbrunn.

Schloß Mespelbrunn im Spessart

Mespelbrunn Castle · Château de Mespelbrunn

Drei Städte am Main

Reizvoll, vielgestalt und reich ist der Kranz der Städte entlang des Mains. Schon die historischen Metropolen Würzburg und Aschaffenburg vermitteln unauslöschliche Eindrücke, sei es durch ihre landschaftliche Lage oder den Reichtum an wertvollen Kunstdenkmälern. Aber auch manche kleinere Stadt verdient Aufmerksamkeit, die eine durch ihre wohlerhaltenen Fachwerkbauten, die andere durch die bekrönende Burg und das pittoreske Anschmiegen an Berghänge und Mainufer.
Zu diesen Städten gehört Wertheim an der Einmündung der Tauber in den Main. Früher hatten solche Punkte erhebliche strategische Bedeutung, und so nimmt es nicht wunder, daß Wertheim von einer mächtigen Burgruine beherrscht wird. Die Grafen von Wertheim saßen hier, sie gehörten ebenfalls zu den gräflichen Geschlechtern des Fränkischen Reichskreises. Unverwechselbar fränkisch ist auch das Ortsbild des einstigen Tuchhandelszentrums, selbst wenn die Zeitläufe Wertheim zur badischen Amtsstadt machten.
Fachwerk dominiert auch in Miltenberg, der ehemaligen kurmainzischen Stadt mit eigenem Gericht – Zeugnis einer gewissen Selbständigkeit des wohlhabenden Bürgertums. Über der Stadt thront die Mildenburg, an ihrem unteren Tor aber entfaltet sich eines der schönsten fränkischen Ortsbilder – ein Fachwerkbau reiht sich an den anderen, vom Spätmittelalter bis zum Barock sind alle Epochen vertreten. Und selten wird in Franken das Bild freundlich-behäbiger Gemütlichkeit so deutlich zu spüren sein wie am Marktplatz und am „Schnatterloch" von Miltenberg.
Einen anderen Charakter zeigt Marktbreit, dessen Geschichte durch die Seinsheim und die Schwarzenberg geprägt wurde. Gleich Wertheim vermochte es aus seiner Lage am Main Kapital zu schlagen und bis weit in das vergangene Jahrhundert bedeutender Handelsplatz zu sein. Der Ausbau von Schiene und Straße jedoch brachte Marktbreit um seine Schlüsselposition. Den einstigen Rang aber bezeugen das originelle Renaissance-Rathaus und das wuchtige Schloß der gleichen Zeit. Seine handelspolitische Stellung spiegelt sich auch in den barocken Prunkbauten des kaiserlichen Oberfaktors Wertheimer und des Handelsmannes Georg Günther.

Three towns on the River Main

Attractive, multifarious and rich is the country along the river Main. Apart from the historic metropolises of Würzburg and Aschaffenburg numerous smaller communities give evidence of this area's natural and artistic wealth. Wertheim at the junction of the Tauber with the Main is one such town overtowered by an imposing castle-ruin, from where the Counts of Wertheim controlled this strategic spot. Its citizens used to trade with draperies and the town image, still telling of Medieval history, is unmistakably Franconian, even if Wertheim belongs to Baden since 1806. Miltenberg is above all known for its wellkept timber-frame work. Formerly belonging to the Prince Bishopric of Mainz it could maintain a certain independence and had a separate court-house. Below its castle spreads the charming scenery of the marketplace and "Schnatterloch" – a whole series of timber-framed houses.
Marktbreit with a history determined by the families of Seinsheim and Schwarzenberg has an entirely different character. Like Wertheim the town profited from its situation on the Main and trade flourished until deep into the nineteenth century. Marktbreit's former rank has survived in the Renaissance townhall and castle as well as in some stately baroque buildings. Travelling along the Main one should not fail to try some of the local wines.

Trois villes sur le Main

Nombreuses, pleines de charme et de variété sont les villes qui bordent le Main. Würzburg et Aschaffenburg, deux métropoles historiques, procurent déjà des impressions inoubliables soit par leur site, soit par leur abondance en monuments artistiques de grande valeur. Mais maintes petites villes aussi retiennent l'attention.
Ainsi Wertheim située à l'endroit où la Tauber se jette dans le Main. Les restes imposants d'un château fort surplombent la ville, château où vécurent les comtes de Wertheim. Ancien centre de commerce pour les étoffes, Wertheim a gardé cette image du passé typiquement franconienne, même si au cours du temps elle est devenue ville de l'Etat de Bade. –
Miltenberg, dont la bourgeoisie aisée jouissait d'une certaine autonomie, se caractérise par ses maisons à colombage. Le château de Miltenberg domine la ville, où les maisons à colombage se succèdent et où toutes les époques du Moyen Age jusqu'au Baroque sont représentées. –
Marktbreit enfin dont la situation géographique fit un centre de commerce important au siècle dernier. L'hôtel de ville de la Renaissance, de même que le château témoignent de cette grandeur passée.

Wertheim am Zusammenfluß von Main und Tauber

Wertheim on the River Main · Wertheim et le Main

Miltenberg, Vier Jahrhunderte Fachwerkbau am „Schnatterloch"

Miltenberg, Timber Framework · Miltenberg, Colombage

Marktbreit, Renaissance-Rathaus über dem Breitbach

Marktbreit, Historic City · Marktbreit, Cité

Ein begeistertes Loblied läßt Matthäus Merian am Ende des Dreißigjährigen Krieges auf die Stadt am Main singen, „welche in der Ebene liegt, mit fruchtbaren Hügeln, schönen Gärten, lustigen Auen und stattlichem Weinwachs umgeben ist." Manches wird hier ausgedrückt, das auch für die Gegenwart den Reiz Würzburgs ausmacht, vor allem die glückhafte Verbindung der Mainmetropole mit der bewegten Landschaft. Freilich gehört dazu nicht nur die Stadt mit ihrer Fülle von Kirchen und Repräsentativbauten, der barocken Residenz oder dem wuchtigen Juliusspital. Beherrscht wird dieses auch nach herben Verlusten immer begeisternde Stadtbild von der Feste Marienberg, einst Sitz der fränkisch-thüringischen Herzöge, später der Würzburger Bischöfe. Heute bietet sich die Burg vor allem im Kleid des 16. und 17. Jahrhunderts, ihre Marienkapelle jedoch gehört zu den ältesten Kirchenbauten des fränkischen Raumes. Bereichert wurde die Festung durch das Mainfränkische Museum, das nach dem Kriege hier Heimat gefunden hat.

Unter dem Marienberg breitet sich die Stadt aus, großzügig, reich gegliedert, immer wieder überragt von den Silhouetten geistlicher Bauten. Da behauptet sich der massige Dom, dessen Grabdenkmäler und Steinfiguren Riemenschneiders allein unvergeßlich sind. Nicht weit entfernt das Neumünster, über dem Grabe des Frankenapostels Kilian und seiner Gefährten erbaut. Seine barocke Kuppel charakterisiert das Stadtbild; sein romanischer Kreuzgang, das „Lusamgärtlein", birgt das Grab Walthers von der Vogelweide. Noch imposanter wirkt Stift Haug, das Werk Antonio Petrinis, mit dem sich Würzburg zur barocken Stadt zu entwickeln begann. Und dann gibt es in der reichen Kette von Kirchen einen bezaubernden Außenseiter, die Marienkapelle am Markt, Denkmal des selbstbewußter werdenden Bürgertums der Spätgotik. Das bedeutendste Zeugnis der Würzburger Bischöfe, vor allem der Schönborn, ist die Residenz. Balthasar Neumann schmolz hier verschiedene Baugedanken zusammen und gab ihr einmalige Züge: das architektonisch wie künstlerisch unvergleichliche Treppenhaus mit dem riesigen Fresko des Venezianers Giovanni Battista Tiepolo und die farbenprächtige Hofkirche. Wer aber glaubt, daß Neumann nur große Baumassen bewältigen konnte, der muß vor allem zum Käppele hinaufsteigen, um die Gestaltungskraft und Wandlungsfähigkeit des Meisterarchitekten zu erleben, der Würzburg bleibend geprägt hat.

Würzburg

By May 1945 Würzburg resembled a huge field of ruins – it ranked among the handful of cities in Germany which had suffered most during the last World War. The premises of Marienberg castle, dominating the historic city from a hill beyond the River Main, belonged to the Celts (since 1000 B.C.), then the Teutons, the Dukes of Franconia-Thuringia, before it became the first residency of the Würzburg Prince-Bishops in 1253. Today's image is mainly that of the sixteenth and seventeenth centuries.
In crossing the old Main bridge below the Marienberg one reaches the centre of town, where the Bishop's Cathedral has been rebuilt. Once again it is an imposing house of God which among others holds several works of Tilman Riemenschneider. In the Romanesque cloister "Lusamgärtlein" of Neumünster church one finds the tomb of Walther von der Vogelweide, the Medieval poet.
Outstanding in many ways, the New Residence of the Bishops of Würzburg still gives evidence of superb European cooperation under the directing hands of Balthasar Neumann in the fields of architecture and fine arts as early as the eighteenth century. Whoever thinks that Neumann could work only on huge construction projects, should walk up to the pilgrimage church Käppele to realize the master-builder's versatility.

Une louange, conçue à la fin de la guerre de Trente Ans, chante la gloire de cette ville sur le Main «qui s'étend dans la plaine, est entourée de collines fertiles, de beaux jardins, de prairies riantes et de crus somptueux». Ces quelques mots qualifient encore Würzburg aujourd'hui, dont le charme vient de l'union heureuse entre cette métropole du Main et le paysage aux aspects multiples. La ville et sa multitude d'églises et de bâtisses caractéristiques, sa Résidence de style baroque et surtout l'imposant hôpital Julius, tout cela est dominé par le château de Marienberg. La chapelle à Marie est une des œuvres les plus anciennes de la Franconie. Dans la ville au-dessous se détache la cathédrale avec des ouvrages inoubliables de Riemenschneider. Non loin de là, la Nouvelle Cathédrale avec sa coupole baroque, son cloître roman, son petit jardin, le «Lusamgärtlein» qui abrite la tombe de Walther von der Vogelweide. Avec le couvent Haug, œuvre d'Antonio Petrini, Würzburg connut le développement en style baroque. Le témoignage le plus important laissé par des évêques de Würzburg est la Résidence, à laquelle ont travaillé des artistes tels que J. L. von Hildebrandt, Welsch, et surtout Balthasar Neumann.

Würzburg, von der Fürstenterrasse der Feste Marienberg

Würzburg from the Marienberg · Würzburg vue du Marienberg

Würzburg, Hofkirche in der Residenz

Würzburg, Court Church · Würzburg, Eglise de Cour

Vor mehr als 500 Jahren diente ein Schäferjunge namens Hermann dem Zisterzienserkloster Langheim. In den Jahren 1445 und 1446 hatte er nach seinem Zeugnis auf einem Acker des dem Kloster gehörigen Hofes Frankenthal Erscheinungen, darunter einmal das Christuskind, umgeben von vierzehn weiteren Kindern – sie forderten Verehrung als die „Vierzehn Nothelfer". Wenig danach erfolgte eine Wunderheilung und es setzte eine schnell populär werdende Wallfahrt ein. Bereits 1448 entstand eine Kapelle, zwei Jahrzehnte später errichtete Langheim die Propstei „Vierzehnheiligen".
Im 18. Jahrhundert, dem galanten Zeitalter, blühte die Wallfahrt noch immer. Der rege Zuspruch der Gläubigen bewegte sogar Langheim, den Bau einer neuen Wallfahrtskirche zu planen. Zu dieser Zeit aber war das Reichskloster in Abhängigkeit vom Hochstift Bamberg geraten. Kein Wunder, daß der gerade regierende Fürstbischof Friedrich Carl von Schönborn Einfluß nahm und der bewährte Balthasar Neumann herangezogen wurde. Sein 1743 beginnendes Projekt erfuhr allerdings durch den Bauleiter Gottfried Heinrich Krohne eigenmächtige Veränderungen. Neumann blieb nichts anderes übrig, als während der laufenden Arbeiten umzudisponieren. Er mußte den Gnadenaltar aus dem Chor herausnehmen und unkonventionell mitten in das Langhaus setzen – der gesamte Bau wurde mit Vierung, Chor, Beleuchtung auf den neuen, ovalen Zentralraum abgestimmt, das „Bauwunder" Vierzehnheiligen war geschaffen. Neumann hatte unter dem Zwang einer von ihm nicht verschuldeten Situation aus einem zunächst eher routinemäßigen Bau einen genialen Wurf gemacht – Zeugnis seines schöpferischen Geistes.
Die Pfarrkirche von Gößweinstein ist ebenfalls mit dem Namen Balthasar Neumanns verbunden. Hier wallfahrtete das fromme Volk seit dem späten Mittelalter zur heiligen Dreifaltigkeit. Auch in Gößweinstein brachte das 18. Jahrhundert einen Neubau, zu dem wiederum Balthasar Neumann die Pläne lieferte. Bamberger und Bayreuther Künstler zeichneten für die Innenausstattung verantwortlich, die sich mit Neumanns Raumkonzeption zu mitreißender Festlichkeit verbindet. Aber nicht nur die Wallfahrtskirche beherrscht das landschaftlich reizvolle Gößweinstein hoch über dem Wiesenttal, auch die einst bambergische Burg weiß sich zu behaupten, selbst wenn ihr heutiges Erscheinungsbild zum Teil Frucht des vergangenen Jahrhunderts ist.

Vierzehnheiligen and Gößweinstein

More than 500 years ago the christ-child together with fourteen other children appeared to a shepherd called Herman in a field belonging to the Cistercian monastery of Langheim. Shortly thereafter the "Fourteen Holy Helpers" miraculously cured a sick person. Numerous pilgrimages followed, before in 1448 a chapel was built. Two decades later the monastery of Langheim founded the affiliated provostship "To The Fourteen Holy Helpers".
In 1743 began the construction work for a new, big church designed by Balthasar Neumann. Following compulsion rather than his own will, Neumann put the miracle-working altar in the middle of the nave, orientating the whole building, including its distribution of light, on the new oval centre portion – a unique conception was created. Master builder Neumann had made the best of an odd situation and given an ingenious evidence of his creative mind.
Balthasar Neumann also drew up the plans for the parish church of Gößweinstein.
Here had been a place of pilgrimage to the Holy Trinity ever since the late Middle Ages. The eighteenth century's new construction features Balthasar Neumann's architecture which, with the interior finish by Bamberg and Bayreuth artists, combines into a ravishing festivity. High above the valley of the Wiesent, the old castle is also accessible and pays the effort of walking up.

Vierzehnheiligen et Gößweinstein

Dû à des apparitions que doit avoir eues un jeune berger, c'est en 1448 déjà qu'on fit construire une chapelle en plein champ, près du cloître de Langheim.
Vingt ans après, Langheim créa le prieuré «Vierzehnheiligen». Les croyants y faisaient de nombreuses pèlerinages.
Au 18e siècle, le pèlerinage était encore florissant, la chapelle d'autrefois trop petite pour pouvoir accueillir tous les pèlerins. Alors on songea à élever une église. On appela en consultation Balthasar Neumann. Mais ses projets sommaires de construction subirent de considérables changements. C'est pourquoi Neumann dut modifier ses plans. Il lui ne restait plus qu'à sortir l'autel miraculeux du choeur pour le mettre, d'une manière inconventionelle, au beau milieu de la longue nef. Le «miracle de construction» de Vierzehnheiligen fut achevé.
Le nom de B. Neumann est également attaché à l'église paroissiale de Gößweinstein où le 18e siècle vit s'élever une nouvelle construction. Son intérieur créé par des artistes de Bamberg et Bayreuth et la conception spatiale de Neumann se marient à une solennité enthousiasmante.

Vierzehnheiligen, Wallfahrtskirche von Balthasar Neumann

Vierzehnheiligen, Pilgrimage Church · Vierzehnheiligen, Eglise de Pèlerinage

Gößweinstein, Burg und Wallfahrtskirche

Gößweinstein, Castle and Pilgrimage Church · Gößweinstein, Château fort et Eglise de Pèlerinage

Kloster Waldsassen

Im nordöstlichen Zipfel des alten Nordgaues versteckt sich Waldsassen, das ehrwürdige, wieder erblühte Zisterzienserkloster. Einst lag es an der Achse staufischer Reichspolitik zwischen Ansbach und Eger. Zu seinen Nachbarn gehörten die Nürnberger Burggrafen und späteren Markgrafen. Waldsassen selbst rodete fränkisches Land. Und so mag es auch bei Franken erscheinen, obwohl es zur heutigen Oberpfalz gehört, schon deswegen, weil die Bau- und Kulturleistungen der Zisterzienser Franken und seine Nachbargebiete unvergeßlich bereichert haben, etwa in Ebrach und Heilsbronn. Das gegen 1133 entstandene Waldsassen hat der Nachwelt einen barocken Raum geschenkt, der gemäß Georg Dehios oft zurückhaltendem Urteil „unter den zahlreichen seinesgleichen einen der ersten Plätze einnimmt": die Klosterbibliothek.
Erster Eindruck des langgestreckten Saales ist die Atmosphäre warmer Geborgenheit. Nicht abweisende Strenge einer Studierstube herrscht hier, sondern heiter-besinnliche Einladung ergeht. Dazu tragen die lichten Farben des Schnitzwerks bei, das keine verfremdende Fassung trägt. Auch der Stuck von Peter Appiani drängt sich nicht auf, sondern ergänzt das Ensemble der Bibliothek in ökonomischer Leichtigkeit, daneben ist er Rahmen für die Gemälde mit Szenen aus dem Leben des heiligen Bernhard, des großen Predigers beim Aufbruch des Zisterzienserordens. Am meisten nehmen aber die lebensgroßen geschnitzten Figuren von Karl Stilp gefangen, die als Atlanten die zierliche Balustrade tragen. Selbstredend wollen sie mehr als nur architektonische Diener sein: hintergründig sind sie, Wissen um Torheit und Eitelkeit der Menschen ist erfaßt – mehr als nur fröhlicher Abgesang der Narrheit. Und wer diese grandiose Barockbibliothek hocherfreut und doch nachdenklich verläßt, wird in der Klosterkirche fast betroffen, wenn das festliche Spiel der barocken Innenausstattung kostbar geschmückte und prunkvoll gekleidete Skelette von Heiligen und Märtyrern umgibt. Gerade in dieser Gegenüberstellung von Schönheit und Tod ist Waldsassen letztlich ein charakteristischer Zeuge seiner Epoche.

Waldsassen Monastery

Only a few miles west of the Czechoslovakian border Waldsassen is situated in the Upper Palatinate rather than in Franconia. However, the Cistercian monks who founded the monastery influenced and enriched Franconia before the convent was closed in 1803. Sixty years later the Cistercian sisters of Seligenthal bought the premises.

Finest among the sights offered in this sacred place is the monastery library. An atmosphere of warm cosiness welcomes the visitor entering the long hall. Although this study breathes learned wisdom, it lacks the unfriendly austerity of modern libraries and invites anybody to abide. Alike the giant Atlas carrying the universe in Greek mythology the life-size figures carved by Karl Stilp, support the elegant balustrade. Upon first sight one can surmise the artist's intention to create more than just an architectural means: knowing of human folly and vanity they are humorous allegories. The stucco work frames the paintings which tell of St. Bernard. Both, amused and pensive, one leaves this grand baroque library to be stunned by what is presented in the monastery church: the festive and playful ornamentation serves to bring out skeletons of saints and martyrs in precious garments. It is this confrontation of beauty with death which makes Waldsassen such a characteristic testimony of its time.

Le cloître de Waldsassen

Le cloître des Cisterciens était jadis à l'axe de la politique impériale des Hohenstaufer entre Ansbach et Eger et fait aujourd'hui partie du Haut-Palatinat. Malgré tout il doit être encore considéré comme franconien si l'on considère l'œuvre architecturale et culturelle importante par laquelle les Cisterciens ont enrichi la Franconie et les provinces voisines. Elevée aux environs de 1133, Waldsassen a offert à la postérité une salle baroque sans pareille: la bibliotheque du cloître.

Ce qui frappe d'abord dans cette salle très longue, c'est l'atmosphère de sécurité et de retraite qui s'en dégage. Les couleurs claires des sculptures sur bois renforcent cette impression de paix, de même que le stuc employé par Peter Appiani et qui sert de cadre aux tableaux représentant la vie de saint Bernard. Mais l'attention est captivée surtout par les figures taillées dans le bois, de Karl Stilp, et qui soutiennent comme des Atlantes la fine balustrade. Celui qui, satisfait et songeur en même temps, quitte cette bibliothèque baroque pour entrer dans l'église monacale, reste comme interdit en découvrant que son aménagement baroque de l'intérieur renferme des squelettes de saints et de martyrs. C'est dans cette juxtaposition de Beauté et de Mort que le cloître de Waldsassen reste un témoin typique de son époque.

Waldsassen, Klosterbibliothek

Waldsassen, Library of the Monastery · Waldsassen, Bibliothèque du Monastère